MIS SENTIDO

PRUEBO

por Genevieve Nilsen

TABLA DE CONTENIDO

PALABRAS A SABER

ácido

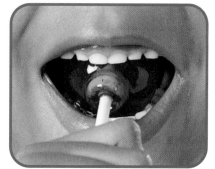
bombón

dulce

lengua

pruebo

salado

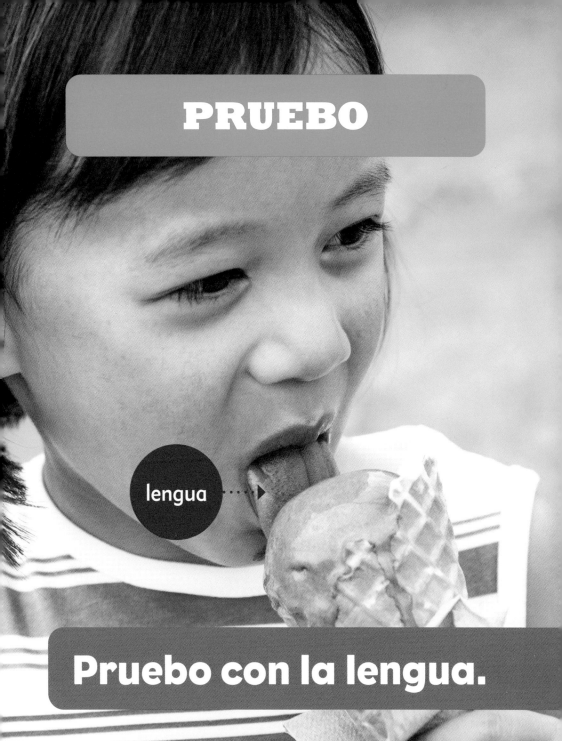

lengua

Pruebo con la lengua.

pepinillo ····▶

Como un pepinillo.

El sabor es ácido.

Como un limón.

limón

El sabor es ácido.

chips

Como chips.

El sabor es salado.

galleta
salada

Como una galleta salada.

El sabor es salado.

bombón

Como un bombón.

El sabor es dulce.

pastel

Comemos pastel.

El sabor es dulce.
¡Mmm!

¡REPASEMOS!

Usamos la lengua para probar. ¿Has probado las siguientes comidas antes? ¿Tenían un sabor dulce, ácido o salado?

ÍNDICE